동굴에서 만난 사람

동굴에서 만난 사람

강중훈 시집

시인의 말

또다시 나는

또 한 사람에게서 지극한 사랑을 받습니다

이제 그 사랑

그 한 사람에게 되갚아야 할 때가 되었습니다

그렇지만 또 한 사람인 그가 너무 많아 또다시

나는 나도 모르는

또 한 사람에게

이 사랑

되갚아 드려야 할까 봅니다

2019년 10월

강중훈

차 례

● 시인의 말

제1부

사랑으로 방황하다

제2부

동굴에서 만난 사람

제3부

다시 사랑에 관하여

제4부

말을 하자면

제1부

사랑으로 방황하다

무적霧笛

1

물살에 돌아앉은 섬들이 섬사람 곁에서 섬을 바라본다네. 섬과 섬 사이로 새벽안개 일고 바닷새들은 그들만의 창을 여는 시간, 섬은 섬사람들을 바라보며 생각에 잠긴다네. 생각이 깊을수록 섬은 안개 속 깊숙한 곳에 있고 밀어내고 싶거나 다가가고 싶은 섬이 그곳에 있음을 느끼지 못하네.

2

내 심장의 고동과 당신이 가느다란 손짓으로 일렁이는 파도의 깃발을 데리고 벌거벗은 채로 헤엄쳐 다녔던 예전의 강 같은 바다, 바다 같은 강의 감동을 기억하지 못하는 것처럼. 섬사람들은 섬에 앉아 섬을 바라볼 뿐이라네. 저건 섬이고, 이건 섬이 아니고, 당신은 섬이고, 나는 섬이 아니고를 반복하다가 무적*에 취해 그만 잠이 들고 만다네.

3

알고 보면 다 그런 거라. 보이지 않다가도 보이고 보이다가도 보이지 않은 그게 섬인 거라, 그게 바다인 거라, 그게 사

랑인 거라, 떠나려 해도 떠나지 못하는 이별인 거라, 고독
인거라, 아픔인 거라, 그게 당신과 나인 거라.

* 무적 : 바닷길에 안개가 끼어 어려울 때 기척을 내기 위해 울리는 뱃고동.

사랑에 관한 정의

벼랑 끝에 매달린 소나무 그림자에 내 아내 묶여 있는 걸 본 사람 있나. 그때는 달그림자도 저녁 바닷길에 비수를 던지고 있을 때였어. 마치 죄 없는 자가 죄 있는 자를 향한 순종처럼 나의 아내도 그렇게 묶여 있는 몸이었지. 뿌드득 뿌드득 이를 갈 만큼 엇박자로 흔들리는 나뭇가지의 일탈과 함께. 그걸 본 내 가슴이 쿵쾅거리는 것은 순전히 파도 때문은 아니었던 거야. 삶의 격랑을 이겨낸 탐라순력도의 제주사람들 모습이 궁금했던 것처럼 아니면 그들처럼

50년인지 60년인지 70년인지 혹은 백년, 천년이었으면 또 어땠을까… 묶여 있거나 거꾸로 매달려 있는 그 역사가 내 위 속을 역류하듯 왔다가 가버리는 파도였다면 그때 이미 과거는 잊혀져간 역사였던 거니까. 잊혀진 역사는 역사가 아니라고들 하지만 어릴 적 추억은 너무나 생생해서 그 추억 속으로 내 아내의 그림자를 밀어 넣은 것은 순전히 나의 잘못된 행실이었으므로

흔들리듯 매달려 있어. 아무도 가지 않은 그 길, 잔물결 같은 가지 틈새로 소리 죽여 울고 있거나. 아니면 지독한 아우성으로 매달려 두둥실 떠다니고 있는 거야. 그녀만의

믿음과 그녀만의 사랑과 그녀만의 수많은 이야기들이 매달
린 테왁*과 그녀만이 알고 있는 목숨 걸어놓고

* 제주 해녀들이 바다에서 작업할 때 수면 위에 띄워 놓고 의지하는 부
  표 혹은 박 같은 도구.

테왁* 하나 섬 하나

하늘새 깃털 속으로 숨어드는 아침,

생간生肝 씹듯 쩝쩝 입가심하는 동녘

물마루 근처

동

동

동

내 아내 아슴하다.

테왁 하나에 섬처럼 매달려

별 밭의 별들이 무수히 발밑으로 떨어지던 날도

내버려진 양심의 별 밭 하늘새들은

점

점

점

점으로 밟혀 떨어지는 것이 익숙해진다.

별 아래 저 아슬한 테왁,

그녀의 그림자를 쪼아대는 하늘새,

뚝

뚝

뚝

선혈을 흘리는 그림자

나를 향해 길게 드리워진다.

* 제주 해녀들이 바다에서 작업할 때 수면 위에 띄워 놓고 의지하는 부
표 혹은 박 같은 도구.

꽃의 연가 1

바람이
꽃에게로
나를 몰고 가던 날

꽃에게서
그의 눈물을 본다

바람이
꽃에게로
나를 몰고 가던 날

하염없이 떨고 있는
그를 본다

바람이
꽃에게로
나를 몰고 가던 날

맑고 투명한 어둠 속에
흔들리는 나를 본다.

꽃의 연가 2

나 그대 꽃이거든
꽃이 되기 위한 풀섶일 걸
섶이 되기 위한 줄기일 걸
나 그대 꽃이거든
꽃보다 더 진한 이별일 걸
숨죽이며 땅에 묻힌 아픔일 걸
나 되돌아본 그 자리
뿌연 안개비 속으로 그대 떠나가던
동구 밖
나 그대 꽃이거든
내 가슴 깊이 박혀 뿌리내린 그대
그대 가슴에 필 꽃이거든

앚물질*

누이야, 재 너머 별 밭 건너, 간밤 너와 뿌린 별의 씨앗들이 별똥별로 지고 지고 또 지다 지쳐 가뭇없이 사라진 동쪽 바다 끝 새벽 하늘을 봤니. 하늘 끝에 매달린 새벽 구름을 봤니.

새벽 구름 사이 속살 드러낸 콩알만 한 유두 빛 네 남루, 부끄러워 숨어버린 저 바다 속 너의 이별, 너의 한숨, 그 아름다운 석별의 함성을 끼고 숫구치는 너의 침묵

나는 차마 그걸 바라볼 수가 없지. 오직 귀만 열면 와 닿는 바닷소리, 그 소리만 열지. 그리고 펼쳐들지. 내 안에 말려 있던 삼단 돛폭, 그 속에 감춰진 절규를, 내가 내린 낚싯줄 보다 더 팽팽한 너의 긴장, 그보다 더 순수한 무엇이 있으므로.

* 제주어로 '새벽녘 바다에 든 제주 해녀의 노역'이라는 의미로 앚물질 혹은 앚물질이라고 한다

입춘 굿놀이

창이 열려 있다는 이유만으로 당신의 자유를 창밖으로 날려보내지 말라. 당신 눈에 꽂힌 주먹새 한 마리 덩어리째 피 흘리며 추락할 테니, 떨어지는 소리에 놀라 눈길로 솟을 테니, 솟아올라 온 세상 피의 꽃을 피울 테니, 피의 꽃이 쟁쟁거리는 소리에 놀라 목을 놓을 테니.

창이 열려 있다 해서 창 안쪽을 함부로 들여다보지 말라. 당신의 등줄기에 매어 있는 몇 가닥 현絃의 긴장, 그 현의 떨림, 그 현에 걸린 물음표와 마침표가 심장의 고동소리에 맞춰 방안 가득 찍힐 테니,

오늘 내가 꿈속의 과거처럼 너를 바로 볼 수 없는 것도 라디오의 어긋난 주파수처럼, 창 안과 바깥 사이를 오가는 낡은 초가집 동아줄 매듭 그 끝자락에 매달린 고드름 뚝뚝 녹아떨어지는 해사한 봄의 환청일 테니.

승부사의 깃발

초하루가 지났습니다. 반쪽도 갖지 못한 낮달이 살 속을 파고듭니다. 보름달 중간쯤에 두고 온 당신 허리를 누군가 휘감으려, 급물살 거스르는 수천수만의 꼬리지느러미와 등지느러미를 가진 미래의 수탉. 얼마를 달려왔는지 모릅니다. 한고비 물마루 언덕이 보입니다. 마른 나뭇가지에 걸린 바람도 가쁜 숨을 헐떡입니다. 나를 쫓는 승냥이의 소리가 가깝습니다. 푸르고 푸른 들판도 거친 숨소리에 걸려 넘어집니다. 모두가 엎드려 숨을 죽입니다. 숨을 죽인다는 건 살 수 있다는 전제라서 들녘엔 아직도 바람이 드셉니다.

춘몽유감 春夢有感

네가 띄워 놓은 초록배
조금 있으면 흔들릴 것이고
떠날 것이고
떠나다가 멈출 것이고
멈춤이 있는 초록바다에서
배에 실린 다섯 마리 소와
여섯 마리 망아지와
여섯인지 일곱인지 모를
해와 달 그리고 별의 그림자
바다는 초록 위에서 꿈꿀 것이고
달 타령을 힘차게 부를 것이고
합주단의 나팔소리에
파도를 뜯던 소떼들은 어디론가
검은 소 한 마리가 끌고 갈 것이고
초록바다 한쪽 귀퉁이
그가 끌던 쟁기
깊이 박힌 보물섬 같은 보습 끝으로
찬란한 이별은 쩍쩍 벌어져

쇠눈처럼 튀어 올라 철썩거릴 것이고

내가 띄운 유년의 초록배 역시

언제나처럼 비상할 것이고.

사랑 고백

나의 아내 가을 배춧속을 다듬는 저녁
남루하게 퇴색한 내 한쪽 다리
바다와 마주한 무너진 밭 돌담 사이에서
그녀와 나와의 관계를 시샘하듯 사선으로 밀어내는 시간
늙은 감나무 가지 끝에 매달린
늦철 든 나의 사랑은 그래도 흐물흐물 익어

바다를 바라보다가
바다만 바라보다가
마음이 휘어지는 저녁 바다에서
문득 바다를 그리워하는 아내와 나의 관계가
'바다'와 '바라보다'의 줄임말의 상관관계 중간쯤에서
그녀와 바다의 관계를
배추 속살을 드러내듯
바다의 멀미증症 같은
그녀의 미소를 밀어 낸다
원래 해녀였던 그도 멀미를 하나 봐

제로지대

아침 해를 본다. 모로 누워 코를 고는 해, 그 위로 눈 내리
고, 눈 속에 숨어버린 동화 속 잃어버린 유리 구두 파편이
박혀 있는 별의 바스락거림, 불안한 것은 보이지 않는 것이
고 보이지 않는 것은 감춰진 것이고 감춰진 것은 아름다운
것이라는 별들의 속삭임. 눈은 계속해서 내리고 특별히 불
안할 것도 없는 나의 별들이 눈 속에 숨어버린 시간, 아침
해는 아직도 코를 골고 눈의 무게는 아직 가벼워. 새벽녘
암캐가 닭 한 마리를 물어 죽이는 장면에서 밀려오는 허기,
부른 헛배가 둥둥 하늘을 떠다녔다. 암캐가 긴 혀를 빼고
침을 흘릴 즈음 라이너 마리아 릴케도 닭의 죽음을 노래하
고, 목청을 찢어대던 암캐는 얼얼한 새벽 창가에 널브러졌
다. 눈은 계속해서 내리고 나의 꿈은 덜 깨고. 암캐의 가랑
이에서 배시시 떠오르는 해.

무지개

그게
무슨 의미란 말인가

사선으로만
바라보다
헤어진 너와 나의
길고 긴 몇 겹의 관계

차라리
점
점
점이라도 찍어둘 걸

한마디 말도 못 건넨 채
헤어진 이쪽과 저쪽

제2부

동굴에서 만난 사람

동굴 1

1

동굴에 사람이 살지 않는다는 건 당연한 이치다 동굴 속을
들여다보면 그 이치를 알 수 있으니까 한때 나도 동굴 속
살림을 살았던 기억이 있어서다 그렇다고 동굴에서 얻은
지혜와 영화와 번영 등을 그리워하진 말아야 한다 나는 지
금 그 모든 지혜를 그 속에 두고 왔으므로

2

몇 번인가 그가 내게 물었지 '동굴에서 우리가 함께 살림을
차리면 안 될까' 라고 그 순간 나는 몇 번인가 흘러가는 바
람소릴 듣고 있었지 오직 바람과 나만이 알고 있는 소리 차
라리 듣지 말았어야 했을 그 수많은 은어들을 엿듣고 있을
누군가가 있었으면 좋았을 걸 하는 생각과 함께

3

마땅히 쫓아야 하고 쫓아내야 할 거라면
내가 먼저 나와버리는 게 낫다는 걸 깨달았을 땐 이미 늦은
시간이었지

그와 내가 헤어질 때야 비로소 깨달았기 때문이거든
동굴에 메아리치던 울림을 좀 더 일찍 깨달았어야 하는 건데
그렇게 동굴은 모든 것을 비밀로 했던 거야

동굴 2
— 허기

넌 정말 배가 고픈 거니? 그렇다면 가슴을 만져 봐. 가슴이
뛰거나 울렁거리거나 한 박자씩 빠르거나 반 박자씩 느리
거나 또는 둥지 튼 참새의 가슴에 박힌 깃털이거나 그가 떨
어져나가는 소리. 그걸 한입 떼어 너의 배를 채워 봐 어쩌
면 그건 천둥소리로 채워진 화석일 수도. 아니지. 주린 배
를 쓸어안고 잠을 청하던 제주도 빌레못동굴 속 겁먹은 새
끼 박쥐의 울음소리일런지. 그 울음소리에 맞춰 구석기시
대 배고파 죽은 순록이나 곰 따위의 뼈들이 삭정이처럼 으
스러지는 울림. 아니야. 아니야. 지금은 오래되어 들리지
않은 4.3때 죽은 개뼈다귀의 말라비틀어지는 소름끼치는
아우성. 그러므로 넌 네 기름때 가신 뱃가죽 밑으로 그 아
우성을 쓸어 담고 그 동굴 속을 빨리 빠져나왔어야 했어.
정말 배가 고픈 거니?

동굴 3

동굴 속에선 오래전부터 들려오는 이야기들과

그걸 받아 적는 발자국 소리가 있지

눈을 떴어도 아무것 보이지 않는

그런 이야기들이 어두운 그림자로 다가와서

가만 가만 만져보는 이야기와

손등으로 두드려보는 이야기와

두려움에 떠는 이야기와

두려움을 두려워하지 않은 이야기와

두려움을 두려워하지 말자는 이야기가

저들끼리 만지작거리거나

이미 내 곁에서 떠나버린 그녀를

그리워하거나

그리움을 부여잡고 사랑을 나누거나

그리움과의 다툼으로 속이 상한 나머지

집을 나가버린 동굴 속 이야기들과 함께

내 안의 상처 난 손톱과 발톱 뜯듯

그들만의 방에 갇혀 벽들과 천정을

밤새도록 긁어대는 새앙쥐 같은

초여름 반딧불에 빨갛게 데어

까맣게 타버린

동굴 4
― 기다림

어제야 비로소 동굴이 움직인다는 걸 알았다. 그들이 도시를 떠나는 것도 그때 느꼈다. 동굴은 도시가 뜨거워서 떠난다고 했다. 여름철이었기 때문일까. 망설이다가 그냥 됐다. 태양도 지구를 버릴 때가 있을 것이므로, 그때를 대비한 동굴의 행위는 당연한 것인지도 모르므로, 동굴이 떠난 도시에서 동굴의 흔적을 찾는다는 것, 발바닥이 뜨겁도록 달아오른 도시에 태양의 그림자가 앉아 있다는 것. 우주를 버린 태양의 열기는 이미 식고. 절대 온도에도 못 미치는 도시 위로 폐광이 되어버린 동굴이 빙글 돌고 있다는 것. 15억 년 혹은 50억 년 후에나 만날 수 있을까 하는 믿음 하나로.

동굴 5

새들이 물고 가다 바닷가에 놓친
섬 바위를 볼 때마다
뒷산에 두고 온
동굴 하나가 생각나지

동굴은 바위틈에 뿌리내린
칡뿌리를 닮았으니까

칡뿌리를 캐어 진을 빨던 새는
바다가 빨릴 때까지 휘파람소릴 내니까

그리움이 있는 것은 모두가
그리움을 입에 물거나
그리운 입술을 깨물거나
그리움의 피를 빨지

새들이 숨어들던 바위 밑 동굴
입구에는 언제나

진한 칡 향이 묻어 있었으므로

동굴 6

예쁜 꽃을 배경으로 찍은 사진과 함께

오래전 그녀가 보낸 편지

'이 세상 반짝이는 모든 것이 다 별은 아니다.'

나 또한 별들이 모두 다 반짝이지 않는다는 걸 알기에

오늘 그녀와 함께 걸었던

절울음* 깊은 바닷길 밟아보지만

내 안의 꽃마저도 꽃이 아닌 듯

바오름* 동굴 쪽 굽은 길로

툭- 툭- 달맞이꽃이 진다.

* 절울음 : 먼 바다에서 파도와 함께 밀려오면서 내는 아득한 물결소리.

* 바오름 : 성산일출봉 맞은편 해안에 있는 '옥녀봉'이라는 오름으로 '식
 산봉'이라고도 부른다.

동굴 7

인연

  멀리 그녀가 내려다보이는 창가에 앉아 바다와 대면한다는 것처럼 싱거운 것은 없다.

  보고 싶어서 내려다보는 것,

  그렇지 않아도 바라봐야 한다는 것,

  일상의 여유도 함께해야 한다는 것,

  선과 선이 늘어선 길이와 부피를 따라 날줄과 씨줄로 이어지는 것이 바다라는 것,

  그 인연의 깊이가 조금은 닫혀 있는 동굴 같은 것이라서 바다는 도무지 열리지 않는다는 것 때문에

  나는 그녀를 바라만 볼 뿐이라는 생각

이별

  그래서 나는, 동그란 눈을 가진 동굴로 그녀를 유인했다

  나는, 그곳에서 날개 빠뜨린 새 한 마리 울음소릴 들었다

결국 나는, 그녀의 동굴에 내 명함 한 장을 빠뜨리고 말
았다

사역 蛇役

그녀는
둥지를 떠난 새
혹은 겨울바다 머리에 이고
새벽을 여는 몸짓에
박힌 느낌표
혹은 신생대 이전의 여인 같은
동굴 속 의문부호

왜가리

그때 돌아봤어야 하는 걸
(노을이 부르고 있었어.)

그때 끌려갔어야 하는 걸
(파도가 치고 있었어.)

바닷가 왜가리
(먼 산에 구름자락이 날고 있었어.)

홀로 날고 있는 줄도 모르고
(물속 수상한 그림자 하나 휙 지나가고)

덧셈 하나 툭!
(흔들리는 돌멩이가 기우뚱.)

떨어뜨린 바다
(내 마음이 바람에 걸려 허공을 가르고)

낚싯대에 걸려 넘어졌지
(기다릴 걸 그랬어.)

풍경

1

창밖 느티나무 잎에 가린 까치 어미 새는

내 안의 풍경이다

잠시 눈을 깜박였을 뿐인데

어디 갔을까

그가 지키던 낡은 둥지

몇 소절 풍경소리에도 벌써 바스라지려 하는

그리움 하나

2

이별은 다시 돌아온다는 것이 전제일까

목젖 쉰 바닷바람 타고

멀리 떠나갔던 파도

절울음 타고 다시 돌아와

내 심장의 고동소릴 엿듣는 것은

기다림을 거역하지 않은 믿음의 약속임을

들려주고자 하는 언약일 거야

우수雨水

겨울비가 줄기차게 내리면 나는 시를 쓴다

빗물에 의미를 담아 매달아 둔다

이 세상 모든 아름다움의 근본은

눈물에 있다고

눈물보다 더 아픈

상처에 있다고

상처보다 더 깊은

미소에 있다고

미소 짓다 고개 떨군

꽃잎에 있다고

꽃잎이 마르면서 내는

바스락거림에 있다고

그 겨울이 가고 나면 나는 시를 쓴다

자유

밤바다에 낚싯줄을 던졌다

어둠이 짜릿하게 끌려온다.

다듬어지지 못한 언어가 꿈틀댄다

나는 그녀에게 답장을 썼다

봉돌에 걸려든 별들의 소식은 쓰지 않았다

별들의 소식은 그녀에게서 따로 왔다

낚싯줄에서 풀려버린 자유의 노래

그 후 찬란한 이별의 노래는 자유롭지 못했다

간호사의 하얀 하품이 그네타기로
흔들리는 오후의 병원풍경

CT 침대에 누워 본 폐렴 앓는 하늘이 부옇다.

미루나무 가지 기웃대는 병실, 물구나무 선 채 링거바늘
을 꽂는 간호사의 하얀 하품만 그네타기로 흔들리는 오후.

기침을 한다.

가슴 깊이 묻어뒀던 묽은 가래가 줄줄이 기어 나온다.

그래, 내지르고 싶었던 말 얼마나 많았으면

많았으면

또다시 하늘이 부옇다.

병실 창가에 서면 누구나 한번쯤은 토하고 싶은 말 있나
보다.

제3부

다시 사랑에 관하여

시골 장터

〈바람난 호프집〉이라는 간판 달린 골목길 장터에서 물음표 하나 느낌표에 꿰매달고 낚시를 한다

'무엇이 나를 바람나게 할까'

어판 벌인 아줌마 손끝에는 날선 회칼 한 자루 들려 있고 검은 비닐 가운에 가린 그녀의 가슴위로 무수히 칼집난 도마가 비스듬히 누어

어디 한번 들여다봐,
그래 실컷 두드려봐,
잘근잘근 썰어내봐.
썰어서 초를 쳐봐.

자판 위에 널브러진 고등어 눈빛처럼
불었거나
찌그러졌거나

잠겨 있을지라도

그걸 바라보는 유리벽 어항 속에 갇힌 각재기 새끼들처럼 새벽은 느낌표로 가득한데

어차피 칼집 든 건 그녀의 젖가슴 살이고
젖가슴 살은 그녀의 아침이고
그 사이로 비치는 아침은
살짝 바람난 시골 장터의 양심인 것을
나는 막연히라도 결코 그곳을 떠날 수가 없다

어판장

누가 버리고 갔을까

허름한 고무장화 한 짝

물가에 코를 골고

허망한 듯 바라보던 빈 수레마저

꼼짝없이 갇혀버린

세상

한끝

세상

문 하나

파시罷市의 어판장

외상 거래하다 지친 하루가

물그림자로

둥 둥 떠다니는

낮은음자리

역류성 고기 떼들이 내 위벽을 역류할 때다
등, 꼬리, 가슴지느러미들로 날 세운 그것들의 역류를 지
켜보다가

'나는 틀렸어!'

소화 안 된 언어와 인스턴트식품과 낚시질을 위한 밑밥
들로 채워진 물 깊은 골에서

'그건 아니야!'

한 번의 부정도 해보지 못한 채 바라만 볼 수밖에 없었던
내가 뱉어내야 할 말과 말들이 역한 냄새로 코를 찌를 즈음

'뒤돌아서 봐!'

봄볕에 실린 시냇물은 낮은음자리로 조곤조곤 흐르고 있
었다

건널목 산책

신호등이 있는 건널목에서
빨갛게 서 있는 사람 있다.

빨간 눈을 가진 사람과
빨갛게 길 들여진 사람과
빨간 사탕을 입에 문 사람들 틈에 낀
빨간색 손과 발이

처형장으로 끌려가는 성 야코부스와 함께 겨울바람에 쫓
기는
빨간 언어를 등에 지고
빨간 깃발을 휘날리며

잃어버린 우리들 3차원의 계절 속
4차원의 도로를
파랗게 바라보며 서 있는 사람이 있다.

진실게임

별들을 그리워하지 마라, 이 세상 반짝이는 모든 것이 별이 아니다. 반짝이는 것, 그건 반짝이다 사라지기 위한 연금술. 여름날 도시의 밤하늘에 나뒹구는 도체비불*같은. 별들의 도시에서 섬의 도대불**을 꿈꾸는 별이라 할지라도 나를 쫓던 태양이 서산에 지고 내 안의 밤이슬이 초록뱀 눈빛처럼 반짝일지라도. '행복하다는 말'은 '불행해질 수 있다는 말의 전제'이므로 오늘 정오의 뉴스는 엿듣지 마라. 흔들리는 주파수가 파도에 부서지는 일이 있을지도 모르므로. 반짝이는 것들을 그리워하지 마라. 추억은 당쳐 빛을 내는 법이 없으므로.

* '도깨비불'의 제주어.
** '등대燈臺불'의 제주어.

가설 여행

만약 내가 나라면 내가 아닌 나를, 내가 알지 못하는 내 안의 창 넘어, 그곳이 아닌 저곳, 저곳이 아닌 또 다른 시에라 네바다산맥*의 호수 같은 내 안의 맑은 호수가 있는 쪽 어딘가로 여행을 떠나고 싶어진다면, 내가 만약 내가 아니라면, 나에게로 떠나는 여행의 끝자락에 매달린 너에게, 나를 돌려보내고, 호수에 빠져 허우적거리는 나를 건져 나뭇가지에 걸어 말린 후에, 버스에 태워 나에게로 돌려보내준다면, 멀미 기운이 흐르는 창밖이 싫어 되돌려보는 흑백 영화처럼 별빛이 지고 만 서쪽 하늘을 향해 무작정 걸어가는 내가 아닌 나에게 업혀 가는 나를 만나거든, 나에게 안부를 전해 줘.

* 미국 캘리포니아주 동·남부를 달리는 산맥, 특히 요세미티 국립공원은 3백 개가 넘는 호수와 폭포, 계곡 등이 아름다이 어우러져 있어 세계자연유산으로 등재되어 있다.

분재盆栽를 꿈꾸다

1

들것에 실려 병실에 들어서던 날부터 나는 잘못된 육신의 미래에 대해서 묻지 않기로 한다. 링거에서 떨어지는 한 방울의 수액에도 내 과거는 쓰리고 아프다. 붕대 한 줄로 발끝과 손끝과 머리끝, 기억조차 싫은 과거를 친친 감아 수술대에 올려놓고 싶어지는 날, 그래도 나의 미래에 대해선 기대하지 않기로 한다.

2

병실 창밖 지나던 바람은 자꾸만 나무에 걸리고, 나무는 더 이상 흔들리지 않고, 낮달이 그네 타기로 내 안의 나뭇가지를 흔들어 놓고, 지난여름 태풍에 찢겨 반쯤 남은 가슴 어느 한 부분에 그 달 크기만큼 훑고 지나간 바람구멍 하나에도 바람송이 같은 싹이 돋아 문득, 턱 고이고 앉은 '로댕'이 그리워지는 시간, 나는 무엇을 생각해야 하는 걸까.

3

누구일까. 이 어두운 병실 창가에 작은 소나무 분재盆栽 한

그루 소리 없이 내려놓고 가신, 그의 고독 그의 아픔 까칠
한 목피에 흐르는 송진 같은 믿음과 사랑과 상처뿐인 나뭇
가지 사이에 푸르고 푸른 깃발 반듯하게 꽂아 놓은 그는.
누구실까. 누군가 내 발등에 주르르 물을 붓고 간다.

소리 한 소절

1

오늘은 일요일이고 내일은 월요일이고 또 내일도 월요일인
데 일요일 때문에 조바심인 것은 오늘이 일요일이기 때문
에서가 아니고 내일도 일요일이기 때문.

2

나는 듣는다. 일요일의 음성을, 건너 집 창고 길고양이 숨
어드는 소리, 새벽을 걷어내는 그 집 새댁의 다듬이 소리,
귀가 마려워서 혹은 오금이 저려서 조금씩 뜯어내는 건넌
방 벽장의 순수. 순전히 잠이 근질거려서일까. 잠결에 꼬드
기는 그녀와 그녀의 음성이 나의 일요일과 일요일 사이에
걸려.

3

아침, 이슬과 이슬이 서로 마주보며 웃는다. 이슬은 통증의
근본. 내 안에 통증도 이슬로 빚는다. 한 그릇 듬뿍 들이킨
내 귀엔 일요일의 소리가 들릴 듯. 어차피 할 일 없는 주말
내 귀는 안개로 덮여 있고 그걸 걷어낼 줄 아는 일요일.

4

길고양이가 운다. 고양이 소리가 들리다가도 들리지 않는
다. 어차피 소리는 들어야 하는데, 들어줘야 하는데, 소리
가 있어야 귀가 열린다는 걸 일요일엔 깨달아야 하는데.

어느 배달부의 우편낭 혹은 그의 그림자

아시아의 한쪽 귀퉁이

누런 가을 햇살에 나의 한쪽 귀가 잘렸어.

두 개의 귀로는 진실된 하나를 취할 수 없었기 때문이야.

고흐가 보낸 소식이었지.

바람 빠진 우편낭에서

가느다랗게 숨을 고르고 있는

해묵은 소식일지라도

전달되지 않은 잔상들일지라도

바짝바짝 마르도록 아니면 애가 타도록

가을 햇살 마른 나뭇가지 끝에

대롱대롱 매달아 두기로 했어.

누런 가을 햇살에 잘려 나간

아시아의 한쪽 귀를 위해

초상

― 김영갑 갤러리에서

늙은 나뭇가지
가을걷이로 흔들릴 때면
일찍 죽은 제주사람 늙은 가죽
질긴 핏줄이 보인다던 그는 어느새
제주사람 무덤 곁에 누워 코를 골고

세 발 달린 카메라 셔터는 그쯤에서
빨간 색칠한 왼뺨을 들이밀며
서산 노을의 역사를
한 소절 한 소절 찍어대는 사람
아마도 그는 달나라에서 떠나온
수채화가였을지도 몰라

그가 지나간 자리엔
크고 작은 그림들이
늘 원점에서 그려져 있었으니까

어쩌다 노란 유채꽃이라도 피는 날이면

반나체로 자빠져서 피식피식 웃고 있는
제주 여인 곁에 누워
썩다 남은 앞니 두어 개로
바람 부는 제주의 말 말 말들을
붓글 쓰듯 그려대고 있었으니까
난 아마 설렜는지도 몰라

그의 낡아 해진 옷에도
가을 건너온 겨울 방화放火 또한 한창이었으니까

소년에게

최초 이 땅에 빛이 있었다는 것은 꿈꾸는 자의 답이다. 그대여! 그대는 보았는가. 초롱초롱 매달린 아침 이슬처럼 찬란히 빛나는 동녘 하늘의 울림을, 용기와 희망과 정열의 햇살을, 믿음과 진리가 반듯한 정의의 햇불을, 햇불은 아침이며 아침은 우리를 이끄는 태양이며 꿈이며 신성함이 묻어 있는 제주의 동녘 땅 성산포의 일출인 것을.

그대여 기억하는가. 여리고 여린 불씨 한 톨 호롱불 심지에 붙여놓듯 꺼지지 않은 아침 태양의 불씨로 우리들 가슴 가슴 마다에 새겨두던 옛일들을, 비록 낡고 비좁은 부엌 아궁이 더디고 더딘 검불씨일지라도 오랜 조상의 숨결 묻어나는 무쇠솥에 모락모락 불 지펴 잘 익은 보리밥 한술 뜨거운 온정으로 이웃과 이웃이 나누어 먹던 고향 성산포를.

혹여 잊었다면 그대여, 울먹울먹한 저 앞바르터진목* 파도소리 귀 기울여보렴. 그 바위틈에 물숨 먹은 우리 어멍, 우리 누이의 숨비질 소리라도 들어보렴! 아니면 광치기 모래밭에 모질게 뿌리내려 피 토하듯 피어난 숨비기꽃 구슬

픈 사연이라도 들어보는 건 어떻겠나!

　그러면 알게 될 거다. 우리가 왜 오늘 이 자리에 섰는가를, 왜 우리가 성산 일출봉 점등인이 되어야 했는가를. 보라! 저 동녘의 빛, 자비로움과 은혜로움이 가득한, 사랑과 정열, 희망과 용기가 샘솟는, 잠들지 않은 우리들의 당당한 모습을! 그리고 소년들이 높이 치켜든 불꽃, 횃불, 우리의 꿈을!!

---

* 성산포 일출봉 해안 모래밭. 제주 4·3 때 4백여 명의 지역주민이 집단 학살된 곳임.

'답답하다'

병원을 찾았다. "어디가 아파서 오셨나요?" 사람은 안 보이고 하얀색이 묻는다. 비스듬히 복도에 출렁거리는 말, 벽도 복도도 천장도 온통 하얀, 하얀색이 묻는다. "어디가 아파서 오셨나요?" 출렁임은 하얀색으로 가슴을 후비고, "가슴이⋯" 라고 대답하려다 말고, "복도가, 천장이, 바닥이⋯" 라고 말하고 만다. 답답한 건 내가 아니고 하얀 벽, 하얀 복도. 다시 묻는다. "어디 아프신 거예요?" 차가운 바닥, 차가운 벽이 이탤릭체로 묻는다. "왜 말씀을 안 하시는 거죠?" 나는 여전히 복도가 답답하다, 천장이 답답하고, 벽이 답답하다. 하얀 것은 절망적으로 답답하다. 정말로 정직하게 말한다면, 이탤릭체 문장이 답답하다. "말씀을⋯" 흰색이 말을 하려다 말고 내가 누운 침대를 하얀 색으로 덮어버린다. 내가 하얗게 지워지고 있다.

제4부

말을 하자면

추락의 미학

내가 탄 비행기가 하늘의 모서리에 매달려
수평과 수직의 날개를 저울질할 때
사람들은 '내 몸이 참 가볍다'라는 생각을 할 겁니다.

그때 나는 왼쪽 가슴에 달린 빨간 단추를 만지작거릴 겁니다.

왜냐하면 존재한다는 의미가 얼마나 중요한가를 입증하기 위해서는
항로의 위치 측정 내지는 항로 변경에 꼬리표를 달아야 하기 때문이지요.

행간의 기울기가 조금은 낮게 조정되는
그때 내 몸은 가볍게 흔들릴 것이고
사람들은 '내 몸이 참 가볍다'라는 생각을 지워버릴 수가 없을 테니까요.

내가 탄 비행기가 근해에 추락하는 동안에도 지상의 별

이란 별들은 모두가 찬란하게 빛날 것이므로

홋카이도[北海道] 연가

내 몸에서 유황냄새가 난다.

지옥 냄새, 아니다.

새벽 찬바람에 문틈으로 얼비치던 어머니, 십구공탄 갈
아 지피시던 그 어머니의 겨울 타는 냄새, 아니다.

방금 지나쳐온 광산촌, 폐광 구석진 밑바닥 막창 벽 사이

징용 간 그녀의 남편이 남긴 마지막 언어가 타는 냄새,

아니다, 아니다, 그도 아니다.

닳아빠진 손톱 스멀스멀 녹아 흐르는 홋카이도 'SPA' 근처

내 몸에서 유황냄새가 난다.

큰일이다. 지옥 냄새, 아니다.

물음표와 느낌표

집어등 열기에 여름밤 바다가 익고 있을 때 나는 내 안의 물음표를 바다로 던졌다

내게서 떠나간 물음표는 시골장터 어느 노파의 장바구니에 매달려 풍경 있는 하루를 보낸다

물음표를 팔아 떡도 사 먹고, 떡볶이를 해달라고 조르기도 하고 가마우지가 물고 가다 놓친 절울음 소리와도 물물교환을 한다

선수船首 쪽으로 빗겨 앉은 늙은 어부의 이마에선 조롱조롱 매달린 한 밤의 느낌표들이 무언가에 닿으려는지 초롱초롱 밝다

등대 음모론 1

손전등이 내 몽당발가락 사이를 슬며시 훔친다.

동절기 벽시계는 일곱 시를 조금 넘겨 어둠에 멈춰 있다.

나는 빨간 넥타이를 매야 한다.

좀더 나에게 철썩여야 한다.

시계 바늘이 늘어진 성산포 외항 건너 빨간 나비가 날고
있을

그러한 야행성을 씨줄과 날줄로 훔쳐봐야 하니까.

시계태엽에 감겨 있는 발가락의 자유를 풀어줘야 한다.

신호를 보내야 한다. 내 정신에게.

손전등이 내 등을 타고 슬며시 내린다.

건너편 소섬 등대 따라 도체비불*도 잠행한다.

* 다양한 형태로 존재하는 제주의 토속신 혹은 그 혼불 또는 도깨비불.

등대음모론 2

침묵하던 눈동자 한쪽이
내게서 이탈한다

절반의 어둠과 절반의 태양을 붙들고
절름발이로 일어나
서쪽 산을 기댄다

바람이라도 세차게 불어줬으면,
비라도 흠뻑 뿌려줬으면
안개 속 짙은 언덕에 나와
생애 한 번쯤
로댕처럼 턱 고임하고 이동 없이 앉아

깊은 시름 원 없이 앓아보거나
소리 한번 크게 외쳐보기라도 했을 텐데
세상 한번 멀리 휘둘러보기라도 했을 텐데

상실

내가 바람이란 걸 몰랐을 때도 바람은 내 집 앞 골목길을 기웃대고 있었나 봐 내가 바람이란 걸 어렴풋이나마 눈치 챘을 때 바람은 그때서야 내 안의 그림자 하나 끌고 내 집 앞 골목길로 돌아들고 있었지 내가 바람이란 것과 마주했 을 때 내 집 앞 담장 너머엔 개녕쿨꽃들도 함부로 피고 지 천으로 피어 새벽닭 울음소리에도 기가 막힌 듯 또 피던 시 절 그때서야 바람은 제 소리에도 놀라 울먹울먹 울음 꽃으 로 피고 있었지 그러던 어느 날 꽃의 무게가 한가득 실린 초가집 기둥이 무너질 듯 낡은 지게 발에 받혀 있을 때도 내 울음보의 무게는 그쯤에서 피다만 개녕쿨꽃으로 피다 피다 지더니… 한 가지 나의 소망도 함께 지더니… 바람이 란 애초에 그런 게 아니었다는 듯 지난해 거둬들이다 놓친 마른 풀잎을 굽은 등에 들쳐 업고 개꽃처럼 헐떡이며 바람 길 골목으로 접어드시던 나의 어머니 지금 어디 계실까.

어느 공사장의 이력

집게발을 치켜든 포클레인

그는 상처 입은 지구다

배고파 우는 새끼의 어미 소다

젖니 빨다 늪에 빠진 물소 새끼다

그가 퍼낸 눈물에 속살마저 젖은

나의 어머니다

그녀의 혼 적삼이다

건어물 산조散調

마른 생선이 버름한 눈으로 나를 본다

나는 장대 끝에 걸린 한낮의 태양을 밀어내고

고독이라는 이름의 생선을 내어건다

무슨 죄를 지었나

바람도 절뚝거리는 시간에

똥소래기* 빈 하늘을 빙빙 날고

멀리 바다가 내려다보이는 언덕 위

낡은 슬레이트 집 한 채

* 솔개.

송목松木

나무에겐 본디 그 잎이 하나였지
뿌리에서 가지 끝까지

하나의 잎이 하나를 위한
하나의 가지가 솟고
또 다른 하나를 위한 기도가 있었지

왜냐하면 나무에겐 그만의 방법인 홀로서기가 있었기 때
문이지

그러던 어느 날
내 짧은 혀에 침샘이 마르던 날
그 나무도 그의 기도를 멈췄지

아마도 고백하고 싶은 건 그것만이 아니었던 거야
혼자란
언제나
외로움의

결과물이므로

주간명월晝間明月

우도에는
발이 무거워 오도 가도 못하는
달이 있었지.
만삭이라 몸이 무거운 달,
물, 물,
물에 불어
망사리* 그물코에 꼼짝없이 갇혀 있는 달,
발발거리며 돌아다니던 달밤의 발길도 그쯤에선 왠지 파
도처럼 소리 지르고 싶어지던 달,
달은 별이 되고
별은 구름이 되고
구름은 바람 되어 사라지던 날
구름언덕 밑 그 달빛 지고 난 자리,
지금 어디 계실까 우리 어멍,

테왁 진 우리 어멍,
물숨 먹은 우리 어멍,

* 제주 해녀들이 해산물을 잡아서 넣은 그물망으로 된 도구.

산술적 시간의 서설

　말을 하자면

　간밤에 있었던 일에 관해서 말을 하자면, 간헐적으로 나의 창을 두드리다 간 당신의 가벼운 숨소리에 관해서 말을 하자면, 바람일까? 넋 나간 혼일까? 지나간 시간과 가버린 사랑에 관해서 말을 하자면, 그러한 말들이 찢겨진 문틈으로 새어 나간 사연들에 관해서

　말을 하자면,

　'나는 아직 멀었어!' 라는 멀고 가까움의 차이를 숫자적 관점에서 바라보자면 투명한 거울 속 뒤편으로 숨겨진 당신과 내 모습과 우리들이 고달픈 인연들을 산술적 셈법으로 계산해 보자면 간밤에도 바람은 우리들 창가에서 미적분적 방식으로 셈을 하다 가버렸다는 뒷소문을 뒤집어 보자면 내가 왜 자꾸만 내 삶의 방식을 발산과 스토크스 방식을 통해서 들여다봐야만 되느냐는 물음표가 남았다는 점에 관해서

　말을 하자면

절뚝대는 내 왼쪽 무릎관절을 딛고 일어나서 '날 잡아봐!'
라며 쌩쌩 내달리는 불자동차 눈빛의 뒤꽁무니를 붙잡다가
질질 끌려가는 시간 속 세포들이 갈기갈기 찢겨져갈 즈음
에 관해서

　말을 하자면,
　그것들의 비와 웃음소리에 관해서 말을 하자면, 이쯤에
서 말을 끊고 말지! 라는 말, 말, 말 많은 나에 관해서 말을
하자면 내가 너를 향한 그리움의 온도계가 급상승할 때쯤
에 관해서

　말을 하자면…

달맞이꽃 피다

그만그만한 얼굴들이
마주 보기로 모여드는
시골 장터

그만그만한 일 가지고도
그만그만하지 않다고

그만,
그만,
돌아앉은
동네 삼춘 허리춤으로

그만그만한
달맞이꽃 피어
그만,
그만,
활짝 웃고 말았습니다

제5부

뚝! 돌매화 지다

몽당연필 낙서

손끝에도 잡히지 못할 만큼 심이 다한 연필을 깎다가 놓쳐버린 사연이 있었지

적어놓고 싶은 이름이 많은데
담고 싶은 이야기들도 많은데

어쩌다 잘못 스친 칼날에 상처 난 손가락 끝으로 떨어지는 핏방울처럼 뚝 뚝 써 내려간 당신의 모습 사이로 심이 다한 몽당연필이 나를 낙서하는 줄도 모르고

구부러진 세월의 마디처럼 무디어진 솜씨로는 잘 쓰여지지 않은 이름들과 거둬들이지 못하는 이야기들을 차마 버릴 수가 없어 손끝으로라도 집어볼까 하던 때가 있었지

적어둬야 할 이름은 많은데
담아둬야 할 이야기들도 많은데

어머니

뒤뜰

감나무 낡은 의자에 촉수로 매달린

물음표

살짝 비틀어

사시斜視로 쳐다보며 앉은

당신

암매岩梅*

한라산 영실 길을 오르다가 마주한
조그만 동굴 옆
얽은 바위 끝에는
내 어머니 맨가슴 같은 봉분 하나 있지요.

위태롭게 붙어 있는
돌매화나무도 있지요.
사람들은 이 나무를 '암매'라고
아니 '엄니~!'라고도 하지요

굽은 허리에 대롱 매달렸다
뚝! 떨어진
마른 기침,
동굴 옆 가시덤불로 지면
우리 '엄니' 맨가슴
다투며 빨다 간 내 누이 빨간 눈물 같은
암매도 함께 지고 말지요.

* 한라산 백록담 바위에 붙어사는 돌매화.

고양이

저녁 안개가 목젖 근처에 걸려 있다

어둠으로 멈춰 선
올레길
깊숙한 골목 끝까지
물끄러미 바라보는
양철지붕 위의 고양이는
나의 귀신님이다

귀신처럼 울고 싶어도
소리 지를 수 없는 그의 눈빛은
문고리에 목줄 잡혀 미동도 하지 않는
늙은 감나무 마른 가지다

양철지붕 위의 고양이는 오늘도
내 목젖 근처에서
바삭바삭 목이 탄다

설흔雪痕 1

뉘 집 고양이 밤새 울던 새벽
설친 잠 일으킨
내 작은 시골집 마당엔
밤새 쌓인 눈 가득하고
눈밭에 찍힌 촘촘한 발자국
한줌 바람 따라
무거운 침묵으로 박히는데

뉠까?
허름한 창가 근처
저리도 한없이 맴돌다 간 그는

설흔雪痕 2

눈이 내린다

네가 시집가던 날

멀찌감치 나를 끌고 가던

그 눈길이

눈발에 덮인다

널까

길인 듯 길 아닌 듯 포장한 눈길을

빈 수레에 주워 담는 저 늙은이는

귀향

　내가 살던 바닷가 옛집에 돌아온 날은 비가 내리다 그친
날이었지
　그때 나는 아주 특별한 것을 깨달았지
　빗줄기는 쏟아지는 것이 아니라 밀어내는 것이라는 주장
이 옳다는 것을
　그건 순수 그 자체였으니까

　바닷가의 잔물결도 밀려오는 것이 아니라 밀어내는 것이
라는 걸
　새들은 벌써 깨닫고 있었으므로
　그렇지만 새들은 그들이 발자국을 낙인찍듯 찍어대며 비
상하는 걸 즐겨 했지

　방금도 그의 발바닥 끝은 밀려온 바닷물에 젖고
　젖은 발끝이 남긴 흔적은 밀려왔던 바닷물에 씻겨
　가랑비 같은 썰물로 밀어내고 있었지
　어릴 적 내가 겪었던 이별을 동여매고 동여맨 붕대가 그
랬던 것처럼

오조리吾照里 혹은 오조리烏鳥里

나는 놓치고 싶지 않은 새

등줄기에서 흰 뼈가 솟고 뼈에 박힌 이삭들 다락방 가득
히 쌓아 두고

깊은 밤 누군가 가려운 등짝을 문지를 때, 먼지 낀 엽서
한 장

그 속에 벌떼처럼 박혀 있는 당신의 근황

새들이 지저귀는 소리 들리지 않을지라도

새들은 눈이 멀고 당신이 심어 놓은 풀 포기들 비틀어졌
을지라도.

바람이 외줄로 훑고 갈 모래성

새끼손가락 닿는 끝

당신과 나의 까치 새

*오조리吾照里 : 제주도 서귀포시 성산포 일출봉과 마주한 작은 바닷가 마을.

사월 이야기

그날

뻐꾸기 목청 높여 날아오르던 날

졸음에 겨운 봄 햇살도

잠에서 깨어 있던 날

뒷산의 철쭉은 붉은 꽃잎으로

저 혼자 몸단장을 짙게 하고 있던 날

솔개 날개깃털 한 가닥

아버님 무덤가에 나풀대는 걸

나는 봤다

이별

뒷산 나뭇가지 끝에
또 다른 나뭇가지
푸르른 창공을 날까 말까 망설이다가,
오늘은 저물었으니
돌아가자고
기우뚱 기우뚱
홀로 노 젓듯
걸음 옮겨놓으시던
어머님
가신 곳 향해
뒷산 노을 같은 나뭇가지 하나
뚝 진다.

달빛 풍경

1
곧 눈이 내릴 것만 같은 저녁
비스듬한 어둠을 열어두면
달빛 익는 소리
더불어 들릴 듯한
내 누이 정겨운 발자국 소리
지금은 어디쯤에 익고 있을까

2
서녘 달이 내 왼쪽 어깨에 기울고
그녀의 온기가
스르륵스르륵
내 남루의 추억 속으로
잠이 들면
귀밝은 별들은
저 먼저 잠이 깨어
스스로의 길을 가는 몽유

3
가메기 모른 식게* 날
울타리 담장 끝에
가슴 막히게 걸려 있는
혼령 같은
달빛

* 까마귀 모른 제삿날 : 저승사자로 불리는 까마귀도 모르게 지내는 제사라
는 의미. 미성년자나 제사를 모실 사람이 없이 죽은 사람의 제사를 이웃이
나 친지가 격식 없이 모시는 제사.

아직도 구천을 헤매고 다니시나이까
― 성산읍 4·3 희생자를 추모함

일천구백사십팔 년 그해, 장총 맨 순사들로 무섭던 시절
서북청년 군화 발소리에 겁 오줌도 절로 나오던 시절
그때 우리는 제주섬에 있었습니다.
이 거친 바람곶 성산 땅에 살고 있었습니다.

아버지 얼굴마저 모르고 태어난 어린 것들도,
초등학교 문턱을 막 들어선 우리들도,
허기지고 배고픔에 먹고살기 위한 설움으로
다니던 학교도 그만둔 큰 누이, 작은 누이도,
아니, 그보다는 총 맞아 죽은 어미 등에 업힌 채 어미젖
빨듯 죽은 어미 핏물 빨며 살아난 건너 마을 모살동네* 작
은 누이도 있었답니다.

이제 이천십팔 년
사람들은 올해를 '4·3 칠십 주기'라고들 합니다.
그때 태어난 어린 것들이 칠십 노인이 되었다는 뜻입니다.
당신이 두고 간 그때 그 어린 것들이 이제는 한세상을 당
당하게 살아온 세월의 나이를 짊어지고 저기 저 한쪽 귀퉁

이에 서 있습니다.

　남 몰래 훔치는 눈물자국에선 모진 삶의 흔적이 묻어납니다.

　'살암시민 살아진다'*고 하시던 우리들 어미의 말씀처럼
　한 여름철 뙤약볕 조밭고랑에 땀범벅 졸음범벅 눈물로
김을 매던 노역의 아픔이
　이곳 앞바르터진목* 모래 밭
　모질게 살아남은 숨비기꽃*으로 피어납니다.

　당신이 흘린 피를 마시며 자란 그 숨비기 꽃밭에서는
　이제 무심히 관광객들이 사진을 찍습니다.
　당신이 흘린 피가 물결로 일렁이는 그 피의 바다에서는
　우리의 자식들도 낚시질 하고 수영도 즐기며
　그들의 연인들과 사랑을 나눕니다.

　그렇습니다.
　저 피의 바다는 우릴 보고 조근조근 말을 전합니다.

그래 참 잘 참고 잘 견디어왔구나. 장하고 장하다.

지금껏 그래왔듯이 아프고 아픈 모든 사연들은 가슴속
깊이깊이 묻어둘 일이며

아물지 않은 상처, 소리 지르고 싶은 고통,

보상받고 싶은 심정 그 모든 것

용서와 사랑과 화해로 대신할 일이라고.

그렇다면 이제 저희들이 화답할 차례입니다.

상처는 만질수록 더 커진다는 어느 외과의사의 말처럼
용서하고 사랑하며 살아야 한다는 것도 깨닫습니다.

진실을 규명하자는 것도, 누구의 잘못이냐고 캐어묻는
것도, 누구의 책임이라고 탓하는 것도, 배상·보상 문제를
논하는 것마저도 용서와 화해 앞에서는 더 이상 진리일 수
가 없습니다.

지금까지 살아온 우리의 의연한 모습이 그 일로 구겨지
거나 추해지는 일은 없어야 하겠기에 그러합니다.

화해와 상생의 의미가 잘못 정의되어서는 안 되기 때문

입니다.

바라시는 바 그 길에 더더욱 당당하게 다가서려 하오니 이제 그만 구천을 헤매시던 발길 돌리시고 부디 영면하시옵소서.

* 모살동내 : 모래밭동내.
* 살암시민 살아진다 : 살다보면 산다.
* 앞바르터진목 : 성산포 일출봉 바닷가 4·3 학살 터 지명.
* 숨비기꽃 : 제주바닷가 모래밭에 자생하는 넝쿨형 꽃나무. 7, 8월 해녀들의 숨비질 소리와 함께 연분홍 꽃을 피운다 하여 검질긴 제주 여인의 혼이 서린 꽃이라고도 함.

동굴, 그 깊은 제주시학의 심연

박현수

동굴, 그 깊은 제주시학의 심연

박현수

(시인 · 문학평론가)

1

강중훈 시인의 시를 맨 처음 읽었을 때 느낌은 시가 탱탱한 피부를 지니고 있다는 점이다. 즉 동안童顔이라는 것이다. 약력에서 그의 나이를 확인하고 나면 이 점을 더욱 인상적으로 느끼게 된다. 보통 나이 많은 시인들의 시가 보여주는 천편일률적인 회고, 지리한 설명조, 늘어진 신변잡기 등이 그의 시에는 보이지 않는다. 시는 삶의 무게를 가득 안고 있으면서도 언어적 긴장으로 무장하고 있어 넋두리로 떨어지는 경우가 없다. 이런 점 때문에 나는 그의 시를 마음 놓고 읽게 된다.

강중훈 시인을 만나게 된 건 서안나 시인의 소개로 제주도 성산 일출봉 인근, 그가 운영하고 있는 게스트하우스에서였다. 그때 몇 명의 여성 시인들과 함께 담소하면서 시인이 겪은 제주 4·3 사건의 이야기를 들었다. 그 사건의 경험을 직접 듣는 일은 처음이었다. 나는 비극적 사건의 증인으로 참여하는 기분으로 호기심과 기대감을 가지고 경청하였다. 그 사건과 거리를 둔 제3자의 입장에서.

그러나 이런 입장은 오래 유지되지 않았다. 강중훈 시인은 그의 나이 여덟 살 때에 아버지와 삼촌, 조부모 등이 학살당하는 모습을 직접 목격하였다고 한다. 그런데 그 이야기를 들으면서 나는 순간적으로, 총에 맞아 죽어가는 아버지와 삼촌을 보는 어린 아이가 되어 있었다. 마치 그 현장에 내가 직접 있는 듯 너무나 생생하게 그 장면이 느껴졌다. 그래서 나는 터져 나오는 울음을 참을 수 없었다. 나는 엉엉 소리 내어 울었다. 어른이 되어 그렇게 울어보기는 처음이었다. 어린 아이가 감당할 수 없는 감정의 심연 그 깊은 곳에 내가 빠져 있는 기분이었다. 어딘가 깊은 곳에서 솟구쳐 나오는 격한 감정이 도저히 진정되지가 않았다.

제3자가 아니라 당사자가 되어 버린 느낌이었다. 같이 간 시인들이 모두 여성 시인들이라 창피하기도 하여 나는 그 자리를 떠나 건물 밖으로 나갔다. 가까이 성산 일출봉이 보이는 건물 입구에 꽤 오래 서 있어도 눈물이 그치지 않았다. 한참이 지난 뒤 감정이 다소 가라앉자 다시 자리로 돌아갔다. 그때 온몸을 들썩이며 쏟아냈던 그 울음은 도대체 어디에서 온 것일까. 내 것 같지 않았던 그 울음은.

지금도 그 격한 울음의 원인이 무엇인지 알지 못한다. 그러나 그때 다음과 같은 서정적인 시에 담긴 정서도 이해하게 되었다.

고추잠자리 어디 갔을까

그가 날고 있으면

피를 부르는 소리 들려,

그가 날개를 접고 있을 때

머지않아

그가 몰고 올 피의 세계가 두려워,

고추잠자리 앉아 있는 건너편

메밀꽃이 하얗게 떨고 있는 걸 본다.

— 강중훈,「고추잠자리」전문

(시집『날아다니는 연어를 위한 단상』)

이 시는 시인이 제주 4 · 3 사건 당시 어린 나이로 아버지와 삼촌의 죽음을 목도한 후 생긴 정신적 트라우마를 반영하고 있는 작품이다. 고추잠자리, 메밀꽃과 같은 서정적인 소재가 시인에게는 '피를 부르는 소리'를 환기시키는 비극의 매개체가 되고 있는 것도 이 때문이다. 그것은 고추잠자리가 날고 메밀꽃이 피는 시기가, 많은 성산포 사람들이 성산포 앞바르터진목에서 학살된 1948년 음력 9월 25일과 떼놓을 수 없기 때문이다. 그의 시는 이처럼 제주의 역사적 비극과 자연스럽게 연계되어 있다.

2

'제주시학'이란 것을 설정할 수 있다면, 그 내용은 '제주의 정체성을 담은 시학'이 될 것이다. 그리고 거기에 제주 4 · 3이 빠질 수 없을 것이다. 그 비극적인 사건이 제주도 일부 지역에만 국한된 것이 아니기 때문이기도 하지만, 그 아픔이 우리 근대사의 가장 비극적인 아픔 중의 하나이기도 하기 때문이다. 그래서 제주시학은 그 사건을 직시하지 않으면 안 될 것이라 생각한다. 이 점에서 강중훈 시인은 제주시학을 온전히 보여주는 중요한 시인이라 할 수 있다.

이번 시집에서 강중훈 시인의 시는 더욱 깊은 경지를 보여주고 있다. 제주에서 살아오면서 겪은 비극적인 역사와 일상적인 사건이 그의 삶에 오래오래 곰삭아 여러 편의 좋은 시편들로 태어났다. 이런 곰삭음 덕분에 앞선 시집들에서 등장하였던 외적 사건의 직접성이 생경하지 않게 서정적으로 전달되게 되었다. 이런 경향을 가장 잘 보여주는 것이 바로, 제목에서 암시되듯이 '동굴시편'일 것이다. 그 중에서도 다음 시가 가장 주목할 만하다.

새들이 물고 가다 바닷가에 놓친
섬 바위를 볼 때마다
뒷산에 두고 온
동굴 하나가 생각나지

동굴은 바위틈에 뿌리내린
칡뿌리를 닮았으니까

칡뿌리를 캐어 진을 빨던 새는
바다가 빨릴 때까지 휘파람소릴 내니까

그리움이 있는 것은 모두가

그리움을 입에 물거나

그리운 입술을 깨물거나

그리움의 피를 빨지

새들이 숨어들던 바위 밑 동굴

입구에는 언제나

진한 칡 향이 묻어 있었으므로

— 「동굴 5」 전문

　동굴이 칡뿌리를 닮았다는 비유는 단순하지 않다. 어두운 땅속을 이리저리 기어서 나아가는 흙 묻은 칡뿌리의 그 억센 질감, 그리고 칡뿌리가 지나가면서 생긴 공간을 닮은 텅 빈 허공으로서 동굴이 지닌 그 부재의 질감. 이 두 질감이 비유에서 낯설게 만나 독자에게 아주 강한 인상을 준다. 이 비유는 그 자체로 완결되어 있지만, 이 비유를 통해 새와 동굴이 연결되고 최종적으로 그리움의 질감이 증폭된다. 새의 목적은 "칡뿌리를 캐어 진을" 빠는 데에 있는 것이 아니라 그보다 더 근원적인 것, 즉 그리움의 상징으로서 "바다가 빨릴 때"에 있다. 새가 칡뿌리를 빨아먹는 행위는 결국 바다라고 하는 근원적인 것에 대한 갈망을 드러내는 상징적인 행위인 것이다. 그리고 그 그리움은 연애시에나 등장할 법한 상투적이거나 가식적인 정서가 아니다. 시인에 따르면 "그리움이 있는 것은 모두가/ 그리움을 입에 물거나/ 그리운 입술을 깨물거나/ 그리움의 피를 빨"기 때문이다. 그리움은 고통과 고난, 희생 등과 떼어낼 수 없는 것이다. 이런 점에서 그의 그리움은 그만큼 절실하고 건강하다.

그런데 그런 그리움이 왜 "뒷산에 두고 온/ 동굴 하나"와 연결될까. 이 동굴은 그리움이라는 정서와 연계되어 있는 어떤 삶을 암시하고 있다. 그러나 그것은 구체적으로 드러나지 않는다. 다만 동굴 입구의 "진한 칡 향"이라는 언급에서 시적 화자가 동굴을 드나들면서 느꼈을 실제 체험을 실감나게 짐작할 수 있을 뿐이다.

이 인상적인 동굴 이미지는 그의 시가 시인의 구체적인 사건을 알아야만 이해할 수 있는 제한된 특수성에서부터 벗어났다는 것을 의미한다. 이제 이 시는 구체적인 삶의 한 단편을 제한적으로 보여주는 시가 아니라, 개인적 체험을 넘어서서 '그리움'이라는 인간이 지닌 근원적인 정서를 훌륭하게 묘사한 작품이 되는 것이다. 동시에 그의 지난한 삶의 여정을 모두 껴안은.

그럼에도 그 동굴의 구체적인 상황을 짐작할 수 있는 단서가 없는 것은 아니다. 다음 시를 한 번 보고 논의를 진행해 보자.

1

동굴에 사람이 살지 않는다는 건 당연한 이치다 동굴 속을
들여다보면 그 이치를 알 수 있으니까 한때 나도 동굴 속 살
림을 살았던 기억이 있어서다 그렇다고 동굴에서 얻은 지혜
와 영화와 번영 등을 그리워하진 말아야 한다 나는 지금 그
모든 지혜를 그 속에 두고 왔으므로

2

몇 번인가 그가 내게 물었지 '동굴에서 우리가 함께 살림을
차리면 안 될까' 라고 그 순간 나는 몇 번인가 흘러가는 바람
소릴 듣고 있었지 오직 바람과 나만이 알고 있는 소리 차라리
듣지 말았어야 했을 그 수많은 은어들을 엿듣고 있을 누군가
가 있었으면 좋았을 걸 하는 생각과 함께

—「동굴 1」 부분

우리는 이 동굴의 비밀을 알 수 없다. 동굴에서 함께 살림
을 차리자고 했던 그는 누구일까. 동굴에서 살림을 살았다는
말이나 살림을 차리자고 한 그의 말은 일종의 비유일까. 이런
비밀은 이 시에서 풀리지 않는다. 그러나 이런 비밀은 풀리지
않는 것이 매력이다. 나도 옛날 월평을 쓸 때 시 구절이 궁금
하여 시인에게 전화하여 물어볼까 고민한 적이 있다. 그러나
시인은 늘 시보다 못한 것이 현실이다. 시인의 대답이 시의

가치를 훼손하는 경우가 많다. 그래서 이번에도 시인에게 물어보지 않았다. 그렇지만 비밀을 괄호 쳐둔 채 짐작하는 재미를 시인이나 평론가는 놓치지 않는다. 그런 짐작의 재미만 있어도 좋다.

그래서 동굴시편의 다른 시를 참조하여 짐작해 본다. 결론은 이 동굴은 어쩌면 비극적인 사건과 연계되어 있을 수 있다는 점이다. 다음과 같은 시에서 암시를 받을 수 있다.

넌 정말 배가 고픈 거니? 그렇다면 가슴을 만져 봐. 가슴이 뛰거나 울렁거리거나 한 박자씩 빠르거나 반 박자씩 느리거나 또는 둥지 튼 참새의 가슴에 박힌 깃털이거나 그가 떨어져 나가는 소리. 그걸 한입 떼어 너의 배를 채워 봐 어쩌면 그건 천둥소리로 채워진 화석일 수도. 아니지. 주린 배를 쓸어안고 잠을 청하던 제주도 빌레못동굴 속 겁먹은 새끼 박쥐의 울음소리일런지. 그 울음소리에 맞춰 구석기시대 배고파 죽은 순록이나 곰 따위의 뼈들이 삭정이처럼 으스러지는 울림. 아니야. 아니야. 지금은 오래되어 들리지 않은 4.3때 죽은 개뼈다귀의 말라비틀어지는 소름끼치는 아우성. 그러므로 넌 네 기름때 가신 뱃가죽 밑으로 그 아우성을 쓸어 담고 그 동굴 속을 빨리 빠져나왔어야 했어. 정말 배가 고픈 거니?

— 「동굴 2 — 허기」 전문

시적 화자가 "빨리 빠져나왔어야 했"던 동굴은 이 시에서 분명하게 나타난다. "4·3때 죽은 개뼈다귀의 말라비틀어지는 소름끼치는 아우성"이라는 구절이 말하듯이, 그것은 4·3 사건과 일체가 되어 있는 동굴이다. 비극적 사건, 그것이 만들어준 트라우마가 동굴의 이미지로 나타나고 있음을 이 시에서 비로소 확인할 수 있는 것이다. 그래서 이 시에서 말하는 '허기'는 단순한 출출함이나 배고픔이 아니다. 이런 트라우마에서 어떤 식으로든 자유롭지 못한, 어떤 호화로움이나 풍요로움으로도 채울 수 없는 근원적인 허기인 것이다.

따라서 앞의 시에서 살림 운운한 동굴 시편에서 '은어'가 나온 것도, '내가 먼저 나와버리는 게 낫다'는 내용도 '빨리 빠져나왔어야 했'던 동굴과 무관한 것이 아님을 이해할 수 있다. 그리고 "뒷산에 두고 온/ 동굴"도 이런 구체적인 개인사를 무시하고는 이해할 수 없는 이미지라는 것도 자연스럽게 알 수 있다. 그래서 이 동굴은 그 트라우마를 더 성숙한 시선으로 바라보는 단계에 도달한 시적 경지의 상징이라 할 수 있다. 바로 그 경지 덕분에 그의 시는 더 많은 보편성을 획득하였던 것이다. 그래서 이 동굴은 구체적 사건으로부터 빠져나와 더 넓은 세계로 나아갈 수 있었던 것이다.

어제야 비로소 동굴이 움직인다는 걸 알았다. 그들이 도시를 떠나는 것도 그때 느꼈다.

—「동굴 4」 부분

　　선과 선이 늘어선 길이와 부피를 따라 날줄과 씨줄로 이어
지는 것이 바다라는 것,
　　그 인연의 깊이가 조금은 닫혀 있는 동굴 같은 것이라서 바
다는 도무지 열리지 않는다는 것 때문에
　　나는 그녀를 바라만 볼 뿐이라는 생각

—「동굴 7」 부분

　　이제 동굴은 제주 어느 한 곳에만 있는, 비극적인 사건과 관
련된 동굴이 아니다. 더 성숙하여 모든 것을 껴안을 수 있는
이미지가 되었다. 도시의 삭막함을 우회적으로 비판하는 소
재가 되기도 하고, 남녀 간의 애틋한 인연의 깊이를 가늠하는
잣대가 되기도 한다. 이런 보편성을 획득하고 있는 동굴의 이
미지는 그의 시가 도달한 한 경지를 잘 보여준다고 할 수 있다.

　　3

　　그의 시가 획득한 이런 보편성은 세계를 보는 성숙한 시선
과 언어적 긴장을 만나 기억할 만한 작품을 빚어낸다. 기억할
만한 시는 표현의 측면에서 두고두고 곱씹게 만드는 언어적
감각을 지니고 있어야 하며, 동시에 그 표현을 낳을 수밖에 없

는 시선, 즉 사유의 깊이를 갖추어야 한다. 깊은 사유 없는 인 상적인 표현이나, 주목할 만한 표현 없는 깊은 사유는 시에서 는 오래 기억될 수 없다. 요즘 쏟아지는 수많은 시들은 대부 분 전자에 치우쳐 있어 아쉬움을 준다. 다행히 강중훈 시인의 시는 이런 위험으로부터 벗어나 있다. 개인의 체험과 역사적 기억이 적절하게 섞여 있는 다음 시를 보자.

　　　내 몸에서 유황냄새가 난다.

　　　지옥 냄새, 아니다.

　　　새벽 찬바람에 문틈으로 얼비치던 어머니, 십구공탄 갈아
　　지피시던 그 어머니의 겨울 타는 냄새, 아니다.

　　　방금 지나쳐온 광산촌, 폐광 구석진 밑바닥 막창 벽 사이

　　　징용 간 그녀의 남편이 남긴 마지막 언어가 타는 냄새,

　　　아니다, 아니다, 그도 아니다.

　　　닳아빠진 손톱 스멀스멀 녹아 흐르는 홋카이도 'SPA' 근처

내 몸에서 유황냄새가 난다.

큰일이다. 지옥 냄새, 아니다.

—「홋카이도[北海道] 연가」 전문

    시인은 홋카이도의 어느 온천 근처에 있다. 그는 온천에서 퍼져 나오는 유황냄새를 통해 자신과 자신이 속한 공동체의 아픈 역사를 연결시키고 있다. 유황냄새가 연상시키는 근원을 시인은 쫓아간다. 그에 따라 유사한 냄새들이 풀어진 실타래처럼 줄줄이 흘러나온다. 어머니의 십구공탄 냄새처럼 개인적 체험에서 시작하여 이어서 징용 간 남편의 마지막 말, "닳아빠진 손톱"이라는 역사적 아픔과 연결된다. 이런 연계는 '아니다'라는 말로, 부정이면서 동시에 긍정인 언어적 긴장을 만들어낸다. 그것은 유황냄새가 나는 것이, 그래서 지옥을 연상시키는 것이 내 몸 아니면 공동체의 아픈 역사로 따로 존재하는 것이기도 하면서 동시에 그 둘이 상호 침투되어 둘이 아니기도 하다는 의식을 보여준다. 간단명료하지 않은 이런 표현 방식은 시인의 사유가 단순하지 않다는 증거일 것이다.

    시골 장터의 한 풍경을 다룬 다음 시도 시인의 사유의 깊이와 언어적 감각을 잘 보여준다.

그만그만한 얼굴들이

마주 보기로 모여드는

시골 장터

그만그만한 일 가지고도

그만그만하지 않다고

그만,

그만,

돌아앉은

동네 삼춘 허리춤으로

그만그만한

달맞이꽃 피어

그만,

그만,

활짝 웃고 말았습니다

― 「달맞이 꽃 피다」 전문

　시인은 시골 장터 풍경을 '그만그만'이라는 어휘를 변주하

며 풀어낸다. 이 말 하나로 시골 장터 풍경이 자연스럽게 전

개되고 순식간에 절정이 만들어지고 마침내 해학적인 결말로

마무리된다. 동일한 어휘가 몇 번이나 반복되고 있지만 의미

가 변주되면서 그 반복은 생기가 넘친다. 시선의 깊이가 긴장된 언어와 잘 만난 경우라 할 수 있다. 리듬감이 풍부하면서 그 의미도 잘 느끼게 하는 작품으로 주목할 만하다.

이런 시선은 삶의 문제가 아니라 대상을 그려내는 작품에서도 잘 드러난다. 대상을 그대로 묘사하면서 그 이면에 내밀한 시선을 슬쩍 보여주는 다음 작품이 대표적이다.

물살에 돌아앉은 섬들이 섬사람 곁에서 섬을 바라본다네. 섬과 섬 사이로 새벽안개 일고 바닷새들은 그들만의 창을 여는 시간, 섬은 섬사람들을 바라보며 생각에 잠긴다네. 생각이 깊을수록 섬은 안개 속 깊숙한 곳에 있고 밀어내고 싶거나 다가가고 싶은 섬이 그곳에 있음을 느끼지 못하네.

— 「무적霧笛」 부분

짙은 무적, 즉 바다 안개 속에 섬들은 서로의 일체감을 느끼고 있다. 섬사람들이 쉽게 가지지 못하는 일체감 속에서 "섬은 섬사람들을 바라보며 생각에 잠긴다." 무적이 더욱 짙어갈수록 섬은 더 깊은 일체감을 느끼는데, 그 최고의 상태는 "밀어내고 싶거나 다가가고 싶은 섬이 그곳에 있음을 느끼지 못하"는 상태로 표현된다. 서로 배척하거나 서로 호감을 지닌다는 생각 자체도 일어나지 않은 완전한 조화 속의 혼연일체가 여기에 그려져 있다. 섬이라는 대상을 그리면서 동시에 인간적 삶의 모습을 반성하게 하는 작품이라 할 수 있다.

　이런 시선은 자신의 개인적인 일상을 다룰 때에도 얕아지지 않는다.

　기침을 한다.

　가슴 깊이 묻어뒀던 묽은 가래가 줄줄이 기어 나온다.

　그래, 내지르고 싶었던 말 얼마나 많았으면

　많았으면

　또다시 하늘이 부옇다.

　병실 창가에 서면 누구나 한번쯤은 토하고 싶은 말 있나보다.
　　　　　—「간호사의 하얀 하품이 그네타기로 흔들리는
　　　　　　　　　　　　　오후의 병원풍경」부분

　병실에서 심한 기침을 하면서도 그 행위 자체는 사유의 대상이 되고, 그리고 그로부터 얻은 깊은 사유는 잘 다듬어진 언어로 태어난다. 심한 기침을 하는 이유를 시인은 "내지르고 싶었던 말"이 많았기 때문일 것이라 생각한다. 그것은 한 순간 병적 상태에만 해당하는 표현이 아닐 것이다. 시인의 지난한 삶, 그 속에서 억제하여 온 감정적 무게 전체에 해당하는 표현이라 할 수 있다. 그런 삶을 성찰할 수 있는 '병실 창가'와 같은 지점에 설 때, 비로소 시가 탄생할 것이다. 그곳에 간혹 닿을 때, 그 때마다 시인은 시집을 내는 것이리라.

4

그의 시는 동안이다. 피부는 동안이면서 그 속의 사유는 오래 산 현자의 것이다. 우리 시단이 그를 제대로 발견하지 못하는 것은 시속時俗의 이익을 쫓는 이들이 너무 많기 때문일 것이다. 우리 모두 반성해야 할 일이 아닐 수 없다. 그럼에도 시란 계속 되어야 하는 것이 아닌가. 살아남아 누군가에 발견되어야 할 것이 아닌가. 세상 사람들에게 발견되기 전에 내가 먼저 알게 된 점, 행운이 아닐 수 없다. 시집 해설을 쓰지 않겠다는 공언을 하며 많은 사람의 요청을 거부하였지만, 이 시집은 그래도 쓸 말이 많아 다행이었다. 마지막 시집 해설이라 생각하고 썼다.

| 강중훈 |

1941년 일본 오사카에서 태어나 1944년도부터 부모님 고향 제주도성산포에서 성장했다. '93년『한겨레문학』으로 등단 한 후 시집『오조리, 오조리, 땀꽃마을 오조리야』『가장 눈부시고도 아름다운 자유의지의 실천』『작디작은 섬에서의 몽상』『날아다니는 연어를 위한 단상』『털두꺼비하늘소의 꿈』『바람, 꽃이 되다만 땀의 영혼』등이 있으며 '제주도예술인상'과 '제주문학상'을 수상했다. 현재 계간 문예『다층』편집인이다.

이메일 : kjh2253@hanmail.net

동굴에서 만난 사람 ⓒ 강중훈
─────────────────────

초판 인쇄 · 2019년 10월 30일
초판 발행 · 2019년 11월 5일

지은이 · 강중훈
펴낸이 · 이선희
펴낸곳 · 한국문연

서울 서대문구 증가로 31길 39, 202호
출판등록 1988년 3월 3일 제3-188호
대표전화 302-2717 | 팩스 · 6442-6053
디지털 현대시 www.koreapoem.co.kr
이메일 koreapoem@hanmail.net

ISBN 978-89-6104-247-5 03810

값 10,000원

＊ 이 책은 문화체육관광부, 제주특별자치도, 제주문화예술재단의
기금을 지원받아 발간되었습니다.

＊ 잘못된 책은 바꾸어 드립니다.

이 도서의 국립중앙도서관 출판시도서목록(CIP)은 서지정보유통지원시스템 홈페이지(http://seoji.nl.go.kr) 와 국가자료공동목록시스템(http://www.nl.go.kr/kolisnet)에서 이용하실 수 있습니다. (CIP제어번호: CIP2019043341)